afgeschreven

LEES NIVEAU

	ME	ME	ME	ME	ME	
AVI	S	3	4	5	6	7	P
CLIB	S	3	4	5	6	7	8	P

Eerste leesboekjes

Toegekend door Cito i.s.m. KPC Groep

ISBN 978 90 5300 556 9
© Uitgeverij Delubas, Drunen
www.delubas.nl

Auteur: Marion Fellerhoff
Illustraties: Kris Nauwelaerts
Eindredactie: Marja Mulder
Realisatie: Projectgroep Delubas
Bureauredactie: Cilia van Zwieten
Vormgeving: Carla van Dijk

Met de bus naar zee

Marion Fellerhoff
met illustraties van Kris Nauwelaerts

Jippie 7

AVI M4

EDUCATIEVE UITGEVERIJ

1 De bus van papa

Merel en haar neefje Koen
staan onder een boom.
Ze horen iets.
'Merel,' fluistert Koen, 'zie je die vogel daar?'
'Het is een lijster,' zegt Merel zacht.
'Hoe weet jij dat, wijsneus?' vraagt Koen.
'Ik heb een boek over vogels,' zegt Merel.

Pang!

Merel kijkt op.

'Wat een knal.

Nou vliegt die lijster weg,' zucht ze.

'Het was die bus daar!' roept Koen.

'Zijn band is lek.

En wat ratelt hij.

Dat is niet goed.

Kijk, je vader zit in die bus.'

'Mijn vader?' vraagt Merel.

Toet, toet!

'Hoe vind je mijn bus!' roept papa.

'Is hij niet super?

In de zomer gaan wij op reis.'

'Wij? Met die bus?' vraagt Merel.

'Dan mag je hem eerst wel eens maken.'

'Dat regel ik wel,' lacht papa.

2 Een nieuwe bus

De school is uit.
Merel holt het plein af.
Ze heeft geen hekel aan school.
Toch is Merel nu blij.
Ze is vrij. Wel een week. Super!

Merel ziet haar huis al.
Toet! Toet! Daar staat de bus.
Papa hangt uit het raam.
'Merel, kijk eens naar mijn bus.'
'Jouw bus?' vraagt Merel.
'Hij lijkt wel nieuw.
En hij ratelt niet meer.
En wie verft hier zo mooi?'
'Ik,' lacht papa.
'De bus ziet er nu veel leuker uit!'

'Dank je,' zegt papa blij.
'En kijk eens goed naar de bus.
Zie je dat bos met die tijger?'
'En kijk daar, een bever!' roept Merel.
'En een vogel in een boom.
Pap, wat mooi!
Mag ik ook binnen kijken?'

3 In de bus

Merel stapt de bus in.
'Wauw!' roept ze uit.
'Dit lijkt net een kamer.
Met een keuken in de hoek.
Dit is een huis op wielen.'

'Hoi Merel.'
Daar stapt Koen de bus in.
Hij heeft een rugzak bij zich.
'Wat doe jij hier?' vraagt Merel.
'Ik heb een week vrij,' zegt Koen.
'Ik ga mee op reis.
Samen met je vader en jou.'
'Op reis? Met ons?
Gaan we dan op reis, papa?'
'Zeker weten,' lacht die.
'Je hebt toch een week vrij?
En Koen mag met ons mee.'
Merel kijkt naar Koen.
'Moet ik nou blij zijn?' plaagt ze.
Koen steekt zijn tong naar haar uit.
'Niet blij met mij,' zegt Koen,
'Maar wel met een week op reis.
Kijk, twee bedden boven elkaar.
Ik slaap boven.'
'Echt niet!' roept Merel, 'ik wil boven!'

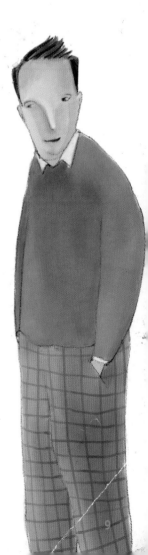

4 Mag Blaf mee?

'Waar zullen we heen gaan?' vraagt papa.
'Ik wil naar zee,' roept Merel.
'Ik ben gek op water!'
'Ja, de zee is leuk!' roept Koen.
'Goed,' zegt papa, 'doen we.'
Merel kijkt rond.
'Gaat mama ook mee?' vraagt ze.
'Mama wil niet mee,' zegt papa.
'Zij verft liever de kamer.'
Merel kijkt Koen aan.
Wie wil er nou niet mee op reis?
'Mag Blaf mee, pap?' vraagt Merel.
'Regel dat maar met mama,' zegt papa.
'Ik vind het best.
Als je maar zelf voor hem zorgt.
We gaan nu eerst eten kopen.
Dan halen we Blaf later wel op.'

'We moeten ook bekers kopen,' zegt Merel.
'Er staan er nog maar twee in de kast.
En in de la zijn geen lepels meer.
Maar er is wel een nieuwe bezem.
Daar kan Koen de bus mee vegen.'
'Merel,' lacht papa.
'Wat moest ik zonder jou?'

5 Blaf in de bus

Merel belt thuis aan.
'Waf! Waf!' Daar hoort ze Blaf al.
De deur zwaait open.
'Hoi mam,' roept Merel.
'Wij gaan met papa naar zee, hè?
Mag Blaf dan ook mee?'
'Dat komt mooi uit,' zegt mama.
'Dan kan ik fijn verven.
Hoor je dat, Blaf?
Je mag mee naar zee.
Daar kun je fijn kuilen graven.'

'Waf, waf!'
Blij springt Blaf tegen haar op!
'Brave hond!' lacht mama.
'Ik haal zijn mand,' zegt Merel.
'Daar kan hij lekker in slapen.'

Blaf zit al voorin de bus.
Papa en mama praten nog even.
Dan geeft mama Merel een kus.
'Dag Koen, jij wilt zeker ook een kus.'
'Nee hoor, ik ben al negen,' zegt Koen.
'Ja, ja, je bent al heel groot,' zegt mama.
'Bijna groter dan jij schat,' lacht papa.
'Kom, we gaan.'
'Dag Merel!' roept mama.
'Pas goed op Blaf en papa!'

6 Blaf in de sloot

'Blaf piept,' zegt Merel.
'Wil je naar de kant sturen, pap?
 Hij moet een plas.'
'Hoe kan dat nou!' zucht papa.
'We zijn net het dorp uit.'
 Hij zet de bus aan de kant.

Blaf doet een plas in de wei.

'Braaf,' roept papa 'Kom, we gaan weer.'

Maar Blaf rent de wei in.

Daar grazen schapen.

Die zijn veel groter dan hij.

Bij de sloot ziet hij een stel eenden.

Wat kwaken die leuk!

Daar wil hij wel mee spelen.

Blij rent hij erop af.

Maar de eenden duiken de sloot in.

Blaf wil ook wel zwemmen.

Plons! Hij duikt de sloot in.

De eenden kwaken hard.

Merel en Koen lachen.

Maar papa lacht niet.

'Bah!' roept hij, 'een sloothond.

Dat zal stinken in de bus!'

7 Een valse start

'Is het nog ver, papa?' zeurt Merel.
'Het is zo warm in de bus.'
'Niet klagen,' zegt papa.
'Kijk! Daar heb je de duinen al.'
'Ik wil de zee zien', juicht Merel.
'En de golven!' roept Koen.
'Mogen we eruit?'

'Als twee het vragen...
dan kan ik geen *nee* zeggen,' lacht papa.
'Blaf wil het ook!' roept Merel.
'Blaf zwemt liever in sloten,' zegt papa.
'Dat kun je wel ruiken.'
Papa zet de bus langs de kant.
Ze steken de weg over.
Wat is het duin hoog!
'Wie het eerst boven is?' vraagt Merel.
'Ja leuk!' roept Koen.
'Wacht even!' roept papa.
'Ik doe ook mee!

Klaar voor de start, af!' roept hij.
Maar Merel en Koen zijn al lang weg.
'Valse start!' roept papa.
'Wacht maar, ik krijg jullie wel!'

8 Op het duin

Boven op het duin staat Blaf.
Hij staat te graven.
'Blaf is de winnaar!' roept papa.
'Dat telt niet,' vindt Koen.
'Hij heeft vier poten.
En wij maar twee.'
'Loop door jij,' roept papa.

'Niet te veel praten.
Ik haal je in, hoor!'
'Mooi niet,' lacht Merel.
Ze trekt papa aan zijn broek.
Samen rollen ze het duin af.
'Lieve help,' bromt papa.
'Zo kan ik mijn benen breken.'
'Ik ben het eerst boven!' roept Koen.
'Niet waar, Blaf was het eerst!' roept Merel.
'Nou ja, het eerst na Blaf dan,' zegt Koen.

Wie wordt er tweede?
Merel klimt snel weer het duin op.
'Hup Merel, hup Merel!' roept Koen.
Merel is nu ook op het duin.
'Hallo papa!' roept ze omlaag.
'Waar blijf je?'

9 Een fles in de zee

Merel en Koen stoeien in het zand.
Hun wangen gloeien.
Merel ploft in het zand neer.
Ze kijkt naar de lucht.
'Zie je daar die kraaien?'
'Dat zijn meeuwen suffie,' zegt papa.

Koen ligt naast Merel.

Hij tuurt naar de zee.

'Daar drijft een fles,' wijst hij.

Merel en Koen rennen op de fles af.

Koen vist hem uit zee.

'Er zit een brief in,' ziet Merel.

Koen houdt de fles op zijn kop.

Hij schudt de fles eens flink.

De brief komt er niet uit.

Met zijn pink haalt Koen de brief eruit.

'Wat staat erop?' vraagt Merel.

'Dit is een spel,' leest Koen.

'Mijn naam is Frank.

Ik draag een mooie, groene hoed.

En ik heb een wit jasje aan.

Mijn haar is rood.

Als je mij ziet, moet je zwaaien.

Zoek mij, en win een prijsje!'

'Wauw!' roept Merel, 'die gaan we zoeken!'

10 Blaf pakt de brief

'Pap,' zegt Merel.
'Koen heeft een fles uit zee gevist.
Er zat een brief in.'
'Dat is leuk!,' zegt papa.
'Wie heeft die brief erin gedaan?'
'Frank,' zegt Merel, 'lees maar.'
Snel leest papa de brief.

'Leuk hoor,' gaapt hij.
'Als jullie gaan zoeken...
ga ik hier gewoon even slapen.'
'Waf, waf,' doet Blaf naar de brief.
Hap! Daar heeft hij de brief te pakken.
Snel rent hij er mee weg.
'Hier met die brief!' roept Merel.
'Kom Koen, achter Blaf aan!
En dan gelijk op zoek naar Frank.'
Ze zeggen papa gedag.
'Blaf, geef hier die brief!' roept Merel.
'Zo is het mooi geweest!

Wat een gedoe!'
'Merel, snap je het niet?' vraagt Koen.
'Blaf wil helpen zoeken.
Hij is een speurhond.
Kom, achter hem aan!'

11 Zoeken naar Frank

'Waar begin je met zoeken?' zucht Merel.
'Bedenk eens iets, Koen.
En Blaf, jij bent toch een speurhond?
We zoeken een groen hoedje.'
'Waf!' Blij kijkt Blaf Merel aan.
Maar hij beweegt niet.

'Wij gaan uit elkaar, Koen,' bedenkt Merel.
'Dan kunnen we goed zoeken.
Begin jij daar bij de duinen?
En kom dan terug langs de zee.
Dan begin ik langs de zee.
Snap je wat ik bedoel?'
Koen knikt.
'Als jij Frank ziet, roep me dan.
Dan kom ik terug!'
'Doe ik!' roept Koen.

Wat zijn er veel mensen op het strand.
Koen zucht eens diep.
Hij krijgt er genoeg van.
Er zijn te veel mensen en te veel hoeden.
Zo vind je die Frank toch nooit!
Hij zwaait naar Merel.
'Merel,' roept hij, 'ik stop er mee!'
'Ik ook, hoor!' roept Merel.
'Ik word gek van al die hoeden.
Niet één is er groen!'

12 Een jongen met rood haar

In het zand ligt papa.
Zzz... zzz... Hij slaapt.
Blaf likt over zijn neus.
Papa beweegt een beetje.
'Zie je dat, Koen?' vraagt Merel verbaasd.
'Hij slaapt gewoon door.'
Merel ploft naast papa neer.
Ze laat zand in zijn navel lopen.
En ook op zijn armen en benen.
'Vergeet ook zijn voeten niet,' zegt Koen.
Al gauw ligt papa onder een berg zand.
'Vergis je niet,' lacht Merel.
'Dit is heel veel werk.
Maar ik help hem alleen maar.
Nu ligt hij niet te lang in de zon.'

Opeens knalt er een bal op papa.

Kwaad krabbelt hij op.

Het zand vliegt in het rond.

'Sorry meneer!' roept een jongen beleefd.

'Ik heb mij vergist.

Mijn schot was verkeerd.'

Verrast kijken Koen en Merel elkaar aan.

De jongen heeft rood haar!

13 Heeft Frank een hoed?

Papa heeft de bal gepakt.
'Heb je dat gezien, Koen?' fluistert Merel.
'Zou dat Frank soms zijn?'
'Ik weet het niet,' fluistert Koen terug.
'Waar is zijn groene hoed dan?
En een wit jasje draagt hij ook niet.'
'Omdat het te heet is,' sist Merel.
'Wie voetbalt er nou met een hoed op
en een jas aan?'

'Sorry,' zegt de jongen nog een keer.
'Geeft niet hoor,' zegt papa.
'Als je voetbalt, gebeurt dat gewoon!'
Met een boog gooit papa de bal terug.
Maar dan... hup!
Merel springt hoog op.
Hebbes, ze vangt de bal.
Met de bal loopt ze op de jongen af.
'Hier heb jij je bal terug!'
'Bedankt,' zegt de jongen.

'Hoe heet jij?' vraagt Merel benieuwd.

'Frank,' antwoordt de jongen.

'Frank?' vraagt Merel.

'Heb jij soms een groene hoed?'

'Een groene hoed?' herhaalt Frank verbaasd.

'Nee, nooit gehad ook!'

'Waarom vraag je dat?'

'O gewoon, zo maar,' zegt Merel.

14 Zin in ijs

Merel rent snel naar Koen terug.
'Heb je dat gehoord?' vraagt ze.
'Hij heet wel Frank.
 Maar hij heeft geen groene hoed.'
'Slim dat je het hebt gevraagd,' lacht Koen.
'Ik slim?' zucht Merel.
'Er zijn hier wel duizend Franken.
 En nog veel meer hoeden!
 Ik kan de goede Frank niet vinden.
 Dus ben ik niet slim genoeg.

Waar is die Frank van de brief?
Koen, waar hebben we nog niet gezocht?'
'Voorbij die rode vlag daar,' wijst Koen.
'Daar zijn we nog niet geweest.'
'Wat een gedoe!' zucht Merel.
'Ik krijg het er warm van.
Papa, heb ik geen ijsje verdiend?'
'Een ijsje verdiend?' vraagt papa verbaasd.
'Waarmee dan wel?
Je begraaft zelfs je arme vader.'
Merel kijkt papa met een lief gezicht aan.
'Vooruit dan maar,' zegt papa.
'Als je Koen en mij maar niet vergeet!'

15 Waar is de groene hoed?

'Lekker, een ijsje,' zegt Merel.
'Waar kun je die hier kopen?' vraagt Koen.
'In de verte staat een ijskar,' wijst Merel.
'Wat is het er druk!'
Opeens geeft Merel een gil.
'Kijk eens naar die ijsman!
Hij heeft rood haar, een wit jasje...'
'Maar geen groene hoed,' zegt Koen.
'Dat is waar,' zucht Merel.
'Zo komen we die Frank nooit tegen.
Ik zoek niet meer verder.'

Maar waar is Blaf ineens?
Merel kijkt om zich heen.
'Kijk daar,' wijst Koen, 'bij die ijskar!'
Daar staat Blaf.
Hij ruikt aan een gele tas.
Wat spookt Blaf daar nu weer uit?
Het lijkt wel of hij iets pikt uit die tas.

'Merel, het is een groene hoed!' roept Koen.
'Hier Blaf!' roept Merel hard.
Blaf komt meteen op haar af,
Met een groene hoed in zijn bek.
En wie rent er achter hem aan?
De ijsman!

16 De echte Frank

Blaf laat de hoed voor Merels voeten vallen.
Hij gaat dicht tegen Merel aan staan.
De ijsman komt nu dichtbij.
'Geef mijn hoed terug,' hijgt hij.
'Vlug! Ik moet naar mijn klanten.'
'Sorry,' zegt Merel.
'Blaf mag geen hoeden stelen.'
Ze geeft de ijsman zijn hoed.

Die loopt snel terug naar zijn kar.
Merel en Koen rennen achter hem aan.
'Wacht,' hijgt Merel, 'heet u Frank?
Wij vonden een fles in zee...'
'Met een brief erin,' lacht de ijsman.
'Klopt, ik ben Frank.'
'Ik heet Merel, dat is Koen.
En mijn hond heet Blaf.
We hebben best lang naar u gezocht.'
'Ik begrijp het al,' lacht Frank.
'Ik had mijn hoed niet op!
Maar Blaf vond de hoed in de tas.'
'Dat is best slim!' vindt Merel.
'Kom mee, jullie hebben een prijsje verdiend.
Een ijsje als prijsje!' rijmt Frank.
'Zal ik Blaf ook maar een prijsje geven?'
'Waf, waf!' Daar is Blaf het mee eens.

oefenwoorden

blz. 4-7
Merel
vogel
hekel
bever
super
ratelt

blz. 8-11
kamer
zeker
water
regel
bekers
lepels

blz. 12-15
graven
groter
sturen
spelen
grazen
kwaken

blz. 16-19
klagen
vragen
sloten
steken
praten
breken